ÜRME VON LEIPZIG

Günter Gerstmann

LEIPZIG

IM NEUEN JAHRTAUSEND

Alte Handelsbörse, Konzert

ZIETHEN-PANORAMA VERLAG

LEIPZIG
IM NEUEN JAHRTAUSEND

Im Zentrum der Flussysteme von Pleiße, Elster, Parthe und Luppe wuchs die Stadt Leipzig, den Flussläufen folgend, in die Breite. Leipzig entstand buchstäblich „im Sumpf". Der Name Leipzig geht zurück auf die lateinische Bezeichnung „urbs Lip zi", die sich in der Chronik Bischofs Thietmar des Merseburger findet (1015). Das Wort weist auf einen Lindenhain hin, der wohl das besondere Kennzeichen dieser Gegend war. Dieser war vermutlich der Rest einer alten Kultstätte aus der germanischen Besiedlung vor der Völkerwanderung, da die Linde besonders den Germanen heilig war.

Später kreuzten hier zwei große Handelsstraßen: die „via regia" (Königsstraße), die von Westen nach Osten führte, und die „via imperii" (Reichsstraße), die in nordsüdlicher Richtung verlief. Durch die Handelswege hat sich die Stadt wirtschaftlich wie kulturell zu einem zentralen Punkt in Deutschland entwickelt. Nachdem die Stadtgründung um das Jahr 1165 erfolgte, entwickelte sich hier die Markttätigkeit in verstärktem Maße. Bereits im 12. Jahrhundert gab es für den Handel eine Oster- und eine Michaelismesse. 1458 kam die Neujahrsmesse hinzu. Mit der Verleihung des Messeprivilegs „Reichsmesse" durch Kaiser Maximilian I. (1497) begann der Aufstieg der Stadt zu einem der bedeutendsten Handels-plätze in Deutschland. Die Stadt Leipzig ließ sogar Frankfurt am Main bald hinter sich und wurde zum „Marktplatz Europas". Im 20. Jh. belegte Leipzig mit seiner Mustermesse einen der ersten Plätze der Welt. Erst durch Unterbrechung des Wirtschaftslebens in der Zeit des II. Weltkrieges und der folgenden DDR-Zeit war die einst so hervorragende Position als Messe- und Handelsstadt nicht mehr aufrecht zu erhalten. Nach der Wiedervereinigung Deutschlands ist die Messe auf dem besten Weg, verlorenes Terrain wieder zurückzugewinnen. Es wurde nach modernsten Erkenntnissen ein neues Ausstellungsgelände errichtet, das zu den größten Europas zählt.

LEIPZIG
IN THE NEW MILLENIUM

Leipzig grew up at the centre of the river system consisting of the Pleiße, Elster, Parthe and Luppe, and expanded gradually along the river valleys. The city literally rose up out of the swamps. The name Leipzig derives from the Latin "urbs Lipzi", recorded in the chronicle of Thietmar, the Bishop of Merseburg, in 1015. The word refers to a grove of lime trees, which presum-ably was a key feature of the area. This was probably the remains of an ancient Teutonic settlement from the time before the migration of the peoples; the lime was sacred to the Teutons.

Later two great trade routes intersected here: the "via regia" (Road of the Kings), which ran east - west, and the "via imperii" (Imperial Road), which ran north - south. As a result, the town developed into one of the country's main economic and cultural centres. After the establishment of a town in about 1165, trading activity increased. As early as the 12th century there was an Easter and Michaelmas fair. In 1458 a New Year Fair was established too. After Emperor Maximilian I granted the right to hold an Imperial Fair in 1497, the city grew into one of the most important commercial centres in Germany. The city of Leipzig soon outstripped even Frankfurt am Main, becoming known as the Market Place of Europe. In the 20th century, the Leipzig Fair made it one of the leading trade fair centres in the world. The interruption of economic activity in the Second World War and during the period of the German Democratic Republic meant that Leipzig's leading role as a trade fair and business centre could not be sustained. But since reunification, the Fair is well on its way to regaining its original status. A new, state-of-the-art exhibition centre has been built, one of the largest in Europe. Meanwhile, the old business houses in the city centre bear witness to Leipzig's historical role as a trade fair centre. The buildings were extensively restored after reunification, and can now be admired in all their former glory.

LEIPZIG
AU NOUVEAU MILLÉNAIRE

La ville de Leipzig a grandi au confluent de la Pleisse, de l'Elster Blanche et de la Parthe en suivant le cours de ces fleuves, Leipzig naquit ainsi «dans le marais». Le nom Leipzig a pour origine l'appellation latine «urbs Lipzi» que l'on trouve dans la chronique de l'évêque de Merseburg Thietmar (1015). Le mot évoque un bosquet de tilleuls, arbres caractéristiques de cette région. Ces arbres étaient probablement les vestiges d'un ancien lieu sacré d'une colonie germanique avant les Grandes Invasions, le tilleul étant sacré surtout chez les Germains.

Plus tard deux grandes routes commerciales se croisèrent à cet emplacement : la «via regia» (voie royale) qui conduisait de l'ouest vers l'est et la «via imperii» (voie impériale) du nord au sud. Grâce à ces voies de commerce la ville est devenue un centre économique et culturel en Allemagne. Après la fondation de la ville aux environs de 1165, les activités marchandes se développèrent de façon accrue. Dès le 12ème siècle une foire de Pâques et une foire de la Saint-Michel favorisèrent le commerce. La foire du Nouvel An s'y ajouta en 1458. Lorsque l'empereur Maximilien 1er dota la ville du privilège de «foire impériale» en 1497, la ville devint l'un des carrefours commerciaux les plus importants d'Allemagne. Leipzig surpassa même Francfort sur le Main et devint la «place du Marché de l'Europe». Au 20ème siècle Leipzig occupait avec sa foire modèle une des premières places dans le monde. Seule l'interruption des activités commerciales pendant la deuxième guerre mondiale et la période de la RDA empêchèrent Leipzig de conserver son rang privilégié de ville de foire et du commerce. Depuis la réunification de l'Allemagne la foire est en train de regagner le terrain perdu. On a utilisé des techniques de pointe pour construire un nouveau site d'exposition qui compte parmi les plus grands d'Europe. Les anciens édifices et entrepôts commerciaux témoignent des anciennes foires de Leipzig.

Von Leipzigs früheren Messezeiten geben noch die alten Handelshäuser und Handelshöfe in der Innenstadt beredtes Zeugnis. Sie sind nach der Wiedervereinigung Deutschlands grundlegend restauriert worden, so dass man sie wieder in neuem Glanz erleben kann. Diese baulichen Kleinodien aus der letzten Jahrhundertwende zeigen sich in Hausfassaden aus der Gründerzeit und dem Jugendstil.

In den Grenzen der alten historischen Stadt Leipzig befindet sich auch noch heute das Zentrum mit den traditionellen Wahrzeichen, der Thomaskirche und der Nikolaikirche. Beide stammen aus dem 12. Jahrhundert. Aus der Thomasschule, die zum früheren Thomaskloster gehörte, ist der Thomanerchor hervorgegangen; der wohl traditionsreichste Knabenchor. Er ist untrennbar mit dem Wirken J.S. Bachs verbunden, der 1723 nach Leipzig kam und bis 1750 Musikdirektor und Kantor war. Zum zweihundertsten Todestag wurden die sterblichen Überreste J.S. Bachs 1950 von der Johanniskirche in den Chorraum der Thomaskirche überführt.

Rund um den Markt bis zum Thomaskirchhof gibt es eine Fülle von Bierrestaurants, Weinstuben und Cafés. Neben anderen Einkaufspassagen findet man im Zentrum in der Grimmaischen Straße die berühmte Mädler-Passage. Das Anwesen nannte sich seit 1625 Auerbachs Hof und war einer der renommierten Messehöfe. Hier befindet sich auch das historische Weinlokal Auerbachs Keller, welches durch die Volkssage von dem Magier und „Schwarzkünstler" Dr. Faust bekannt wurde, der um 1525 das Weinlokal besucht haben soll und eine Wette mit dem Wirt abschloss, dass er allein ein schweres Weinfass die Treppe hochtransportieren kann. Laut der Volkssage soll er dann, in Anlehnung an den Bacchus-Fassritt, auf Grund seiner magischen Kräfte, auf dem Fass sitze die Treppe hochgeritten sein.

The facades from the Age of Promoterism and Art Nouveau are the centrepiece of these architectural gems from the turn of the 19th - 20th century.

The present-day city centre is still located within the boundaries of the old historical city of Leipzig, with its traditional landmarks, the Church of St. Thomas and the Nikolaikirche. Both date back to the 12th century. The St. Thomas Choir, probably the boys choir with the longest history, evolved from the St. Thomas School, part of the former monastery. The choir's roots are inseparably interwoven with J.S. Bach, who came to Leipzig in 1723 and was musical director and cantor there till 1750. Bach's mortal remains were transferred from the Church of St. John to the chancel of the Church of St. Thomas in 1950.

All round the market square, right up to the churchyard, there are a whole range of pubs, restaurants, wine taverns and cafés. Also in the centre, along with other similar ones, is the Mädler-Passage shopping precinct in the Grimmaischen Straße. The premises were known as Auerbachs Hof from 1625, and were the site of one of the leading trading houses. It is also the location of the historic wine tavern Auerbachs Keller, made famous in the legend of the magician and the demonic dabbler Dr. Faust, who is said to have visited the tavern about 1525 and made a bet with the landlord that he could carry a heavy barrel of wine up the stairs on his own. According to legend, he then rode up the stairs astride the barrel like Bacchus, thanks to his magical powers. Goethe came to Leipzig as a student and was a frequent customer at Auerbachs Keller. This is how he heard of the legend of Dr. Faust, which haunted him up to the time when he published his tragedy, in which Auerbachs Keller is also mentioned.

In Leipzig, Goethe made friends with a man called Behrisch, who was charged with the education of the Count of Lindenau's son. At the time, Auerbach's Hof happened to be owned by the Count,

Ils ont été entièrement restaurés après la réunification de l'Allemagne, si bien qu'on peut à nouveau les admirer dans toute leur splendeur. Les façades modern style de ces bâtiments représentent des joyaux architecturaux du siècle dernier.

Dans les murs du Leipzig historique se trouve encore aujourd'hui le centre de la ville avec ses emblèmes traditionnels, l'église Saint-Thomas et l'église Saint-Nicolas. Toutes deux datent du 12ème siècle. L'école Saint-Thomas, qui faisait partie de l'ancien cloître Saint-Thomas, a donné naissance au chœur Thomaner, chœur d'enfants riche en traditions et étroitement lié à l'activité de J.S. Bach qui arriva à Leipzig en 1723 et y fut cantor jusqu'en 1750. La dépouille mortelle de J.S. Bach fut transférée de l'église Saint-Jean dans le chœur de l'église Saint-Thomas à l'occasion du bicentenaire de sa morten 1950.

Tout autour du marché et jusqu'au cimetière Saint-Thomas on trouve une quantité de brasseries, de bars à vin et de cafés. Le célèbre Mädler-Passage se situe au centre de la ville, à proximité d'autres passages commerciaux, dans la «Grimmaische Strasse». Cet endroit qui s'appelait depuis 1625 la Auerbachs Hof était l'un des champs de foire les plus renommés. C'est ici que se trouve également la taverne historique Auer-bachs Keller (cave Auerbach) rendue célèbre par la légende du magicien et «sorcier» Dr Faust. Cette légende raconte que Faust se rendit à la taverne vers 1525 et qu'il fit avec le cafetier le pari de hisser seul par les escaliers un lourd tonneau de vin. Toujours d'après cette légende populaire, grâce à ses pouvoirs magiques et en s'inspirant de l'exemple de Bacchus chevauchant son tonneau, il aurait gravi l'escalier en selle sur le tonneau. Goethe était étudiant lorsqu'il arriva à Leipzig en 1765 et il fréquenta souvent la taverne Auerbach. C'est là qu'il entendit parler de la légende du Dr Faust et il y pensa sans répit jusqu'à ce qu'il publie plus tard son drame «Faust», dans lequel apparaît d'ailleurs la taverne Auerbach.

Goethe kam als Studiosus 1765 nach Leipzig und kehrte oft im Auerbachs Keller ein. Hier erfuhr er von der Dr.-Faust-Sage, die ihn nicht ruhen ließ, bis er später seine Faust-Tragödie schrieb, worin auch der gleichnamige Auerbachs Keller vorkommt.

Der Leipziger Schriftsteller Erich Loest hat die Nikolaikirche in seinem gleichlautenden Roman (1995) verewigt. Diese Kirche war die impulsgebende Stätte für die friedliche Revolution von 1989; hier fanden die legendären „Montagsgebete" statt. Die Kirche war Sammel- und Ausgangspunkt für die „Montagsdemonstrationen" in Leipzig. Diese Demonstrationen fanden auch in anderen Städten z. Zt. der DDR statt und bewirkten die friedliche Wiedervereinigung Deutschlands. Die alte Nikolaischule (1511) zählt zu den wenigen noch erhaltenen Renaissanceschulgebäuden in Sachsen. Berühmte Schüler dieser Schule waren der in Leipzig geborene Gottfried Wilhelm Leibniz, der Philosoph Christian Thomasius und der Schriftsteller Johann Gottfried Seume. Auch der Komponist Richard Wagner (geboren 22.05.1813) hat als Sohn der Stadt Leipzig hier im 19. Jh. die Schule besucht. Einheimische und Touristen können im dortigen Restaurant und Lesecafé auf den Spuren der großen Söhne dieser Stadt verweilen.

1409 war das Gründungsjahr der Leipziger Universität, die besonders im 19. und 20. Jh. eine bedeutende Rangstellung in Deutschland erreichte. Insbesondere zählten zu ihren Studenten Leibniz, Lessing, Klopstock und Goethe. Obwohl in der DDR-Zeit unabhängig denkende Wissenschaftler von der Universität verbannt wurden, gelangen in dieser Zeit bahnbrechende Leistungen in der Medizin, z. B. die erste Operation am offenen Herzen.

Johann Sebastian Bach, Felix Mendelssohn-Bartholdy und Robert Schumann sind drei große Namen, die mit Leipzig als Musikstadt eng verbunden sind. Weltberühmt wurde das Gewandhausorchester unter der Leitung von Felix Mendelssohn-Bartholdy, der im Jahre 1835 bereits mit 26 Jahren die Leitung bis 1847 übernahm.

and Behrisch was a frequent visitor there, so it is not suprising that he and Goethe should have made each other's acquaintance. The 11-year older Behrisch soon warmed to the young Goethe. He sensed his genius, just waiting to emerge. Behrisch was an odd character, often rather haughty and superior in his ways, and played a sort of Mephisto role in relation to the young writer, a doubting sceptic, boldly negating accepted wisdom. And it could well be that when the two of them were leafing their way through the old Faust book which lay chained to a reading desk in Auerbach's cellar, Behrisch ridiculed and scoffed at what they read, sowing the seeds in the depths of the young writer's mind that would eventually blossom into Goethe's great tragedy.

The Leipzig based author Erich Loest immortalized the Nikolaikirche in his novel of the same name (1995). The church was the focal point of the bloodless revolution of 1989; the legendary "Monday Prayers" were held here. Among other things, the church was the assembly and starting point of Leipzig's "Monday Demonstrations". These demonstrations took place in other GDR cities too, and were the catalyst for the peaceful reunification of Germany.

The old St. Nicholas School (1511) is one of the few Renaissance school buildings in Saxony that is still preserved. Famous past pupils include Gottfried Wilhelm Leibniz, born in Leipzig, the philosopher Christian Thomasius, and the writer Johann Gottfried Seume. Another of the city's sons, Richard Wagner (born 22.5.1813) also went to school here in the 19th century. Locals and tourists can spend an hour in the restaurant and reading café, where the famous once went to school.

Leipzig University, one of Germany's pre-eminent seats of learning particularly in the 19th and 20th century, was founded in 1409. Famous students include Leibniz, Lessing, Klopstock and Goethe.

L'écrivain de Leipzig Erich Loest a immortalisé l'église Saint-Nicolas dans son roman éponyme de 1995. L'église était le centre de la révolution pacifique de 1989 : c'est là qu'eurent lieu les légendaires «prières du lundi». L'église fut point de rassemblement et de départ pour les «manifestations du lundi» à Leipzig. Ces manifestations eurent également lieu dans d'autres villes de la RDA et contribuèrent à la ré-unification pacifique de l'Allemagne.

L'ancienne école Saint-Nicolas (1511) compte parmi les rares édifices scolaires de la Renaissance encore conservés en Saxe. Gottfried Wilhelm Leibniz, né à Leipzig, ainsi que le philosophe Christian Thomasius et l'écrivain Johann Gottfried Seume furent des élèves célèbres de cette école. Le compositeur Richard Wagner, né le 22.05.1813 à Leipzig, a également fréquenté cette école au 19ème siècle. Ce lieu imprégné de la présence des fils célèbres de Leipzig sert aujourd'hui de cadre à un restaurant et à un café littéraire.

L'université de Leipzig fut fondée en 1409 et occupa particulièrement au 19ème et au 20ème siècle une des toutes premières places parmi les universités allemandes. Elle accueillit parmi ses étudiants notamment Leibniz, Lessing, Klopstock et Goethe. Bien qu'à l'époque de la RDA les scientifiques indépendants d'esprit furent bannis de l'université, de nouvelles percées y eurent cependant lieu : en médecine, la première opération à cœur ouvert.

Jean Sébastien Bach, Félix Mendelssohn-Bartholdy et Robert Schumann sont trois grands noms liés à l'histoire musicale de Leipzig. L'orchestre du Gewandhaus est devenu mondialement célèbre sous la direction de Mendelssohn-Bartholdy, qui en prit la direction en 1835 à l'âge de 26 ans. Il fonda également à Leipzig le premier conservatoire de musique d'Allemagne. Des célébrités mondiales telles que Johannes Brahms, Anton Bruckner, Peter I. Tchaïkovsky, Gustav Mahler et Edward Grieg dirigèrent dans ce lieu.

Er reformierte fortan das Leipziger Musikleben. Auf ihn geht auch die Gründung der ersten Musikhochschule Deutschlands in Leipzig zurück. Berühmtheiten der Musikwelt wie Richard Wagner, Johannes Brahms, Anton Bruckner, Peter I.Tschaikowsky, Gustav Mahler und Edward Grieg dirigierten hier.

300 Jahre reicht die Geschichte der Leipziger Oper zurück, die sich Deutschlands ältestes Musiktheater nennen kann. Hier haben im 18. Jh. die Komponisten Johann Adam Hiller, Albert Lortzing und später auch Richard Wagner gewirkt. Uraufgeführt wurde 1927 „Jonny spielt auf" von Ernst Krenek und 1930 „Mahagonny" von Brecht/Weill. Das Ballett und die Ballettschule der Oper besitzen ein hohes Ansehen.

Nach der Wiedervereinigung Deutschlands bekam der in Karl-Marx-Universität umbenannte Kaderbau wieder die Bezeichnung „Alma mater Lipsiensis". Weiterhin besitzt Leipzig eine „Hochschule für Technik, Wirtschaft und Kultur", eine „Hochschule für Grafik und Buchkunst", sowie eine private intern. Handelshochschule für die Ausbildung von Führungskräften.

Schon vor der Erfindung des Buchdrucks wurde in Leipzig mit Büchern gehandelt. Zur Herbstmesse 1481 erschien das erste hier hergestellte Buch, die Schrift eines italienischen Mönchs. Der erste gedruckte Buchmessekatalog wurde 1594 verteilt. Im 18. Jahrhundert hatte Leipzig unangefochten vor Paris und London die Vorrangstellung als Hauptstapelplatz für den gesamten Buchhandel erlangt. In der zweiten Hälfte des 18. Jahrhunderts verlegte der Herausgeber Göschen Werke von Lavater, Klopstock, Wieland, Goethe und Schiller. Der „Börsenverein des deutschen Buchhandels" entstand hier in Leipzig. Das Leipziger Adressbuch von 1930 verzeichnete allein fast dreihundert Verlage und graphische Unternehmen. Damit stand Leipzig mit seinem Buchhandel an der Spitze Deutschlands.

Although independent free-thinking academics and scientists were banned from the university in the time of the GDR, trail-blazing achievements in medicine date from this period, e.g. the first open-heart surgery.

Johann Sebastian Bach, Felix Mendelssohn-Bartholdy and Robert Schumann are three great names closely associated with Leipzig as a city of music. The Gewandhaus Orchestra became world-famous under Mendelssohn-Bartholdy, who became its conductor in 1835 at the age of 26. He set about reforming Leipzig's music scene. The foundation of Germany's first conservatoire in Leipzig is one of his achievements. Famous personalities such as Richard Wagner, Johannes Brahms, Anton Bruckner, Peter Tchaikovsky, Gustav Mahler and Edward Grieg are among the conductors who performed here.

The Leipzig opera, the oldest in Germany, can look back on a 300-year-old history. The composers Johann Adam Hiller, Albert Lortzing and later Richard Wagner worked here. Ernst Krenek's "Jonny spielt auf" and Brecht/Weill's "Mahagonny" had their grateful world premiere here, in Leipzig in 1927 and 1930 respectively. The opera's ballet company and school have a high reputation.

After reunification, the "Alma mater Lipsiensis", renamed as the Karl Marx University in GDR times, got its old name back again. Leipzig also boasts a University of Technology, Economy and Civilization, a University of Graphic and Book Design and also a privat international business school for training of managers.

Even before the invention of printing, there was a thriving trade in books in Leipzig. The first book produced in Leipzig, written by an Italian monk, appeared at the Autumn Fair of 1481. The first printed Book Fair catalogue was distributed in 1594. In the 18th century Leipzig was the foremost centre of the whole book trade, surpassing the book trade of Paris and London.

L'Opéra de Leipzig a une histoire vieille de 300 ans et peut s'enorgueillir d'être la plus ancienne salle de concert allemande. C'est ici qu'au 18ème siècle les compositeurs Johann Adam Hiller, Albert Lortzing et plus tard également Richard Wagner ont travaillé. «Jonny spielt auf» de Ernst Krenek y fut créé en 1927 et «Mahagonny» de Brecht et Weill en 1930. Le Ballet et l'Ecole de ballet de l'Opéra jouissent d'une grande renommée.

Après la réunification de l'Allemagne la «Karl-Marx Universität» retrouva son ancienne nomination «Alma mater Lipsiensis». Leipzig possède en outre un conservatoire de musique fondé par Félix Mendelssohn-Bartholdy. La ville compte également une «faculté des techniques, de l'économie et de la culture », une «faculté des arts graphiques et des métiers du livre», et une privè école de commerce pour la instruction de dirigants.

Avant l'invention de l'imprimerie on s'occupait déjà du commerce des livres à Leipzig. A l'occasion de la foire d'automne de 1481 parut le premier livre fabriqué dans la ville, le manuscrit d'un moine italien. Le premier catalogue imprimé de la foire fut distribué en 1594. Au 18ème siècle, Leipzig précédait incontestablement Paris et Londres comme lieu de stockage pour tout le commerce du livre. Dans la deuxième moitié du 18ème siècle l'éditeur Göschen édita des œuvres de Lavater, Klopstock, Wieland, Goethe et Schiller. «La Bourse des libraires allemands» fut créée à Leipzig. L'annuaire de Leipzig de 1930 recense presque trois cents éditeurs et entreprises graphiques, plaçant ainsi la ville au premier rang pour l'Allemagne, aux côtes de Mayence. De nombreux éditeurs et imprimeurs réputés avaient leurs bâtiments dans le «quartier graphique», alors renommé. Dans la nuit du 4 décembre 1943 une partie de Leipzig ainsi que le «quartier graphique» furent totalement détruits. Des millions de livres et de machines à imprimer furent la proie des flammes.

Die Alte Handelsbörse ist ein Kleinod des Barock. Die Leipziger Ratsherren ließen das Gebäude 1678 für die Zusammenkünfte der Kaufleute errichten. Das flache Dach trägt an den Ecken göttliche Figuren: Apollo, Merkur, Minerva und Venus. Heute dient das Gebäude Kammerkonzerten und literarischen Veranstaltungen. Das von Carl Seffner geschaffene Goethe-Denkmal vor der Alten Handelsbörse zeigt den Frankfurter Patriziersohn als Studiosus, der von 1765-1768 an der berühmten Leipziger Universität studierte. Die Medaillons am Denkmal schmücken seine Jugendlieben.

The Old Stock Exchange is a baroque gem. The aldermen of Leipzig had it built as a merchants' meeting place in 1678. The flat roof is decorated at the corners with figures of Apollo, Mercury, Minerva and Venus. Today the building is used for chamber concerts and literary events. The statue of Goethe outside the Old Stock Exchange by Carl Seffner depicts the son of a Frankfurt patrician family as a student. He studied at Leipzig's famous university from 1765-68. The medaillons are decorated with his early loves.

L'ancienne Bourse du commerce est un joyau baroque que les conseillers de Leipzig firent construire en 1678 pour les réunions des marchands. Le toit plat porte à ses coins des personnages divins: Apollon, Mercure, Minerve et Vénus. Aujourd'hui cet édifice est utilisé pour des concerts de musique de chambre et des réunions littéraires. La statue érigée par Carl Seffner devant l'ancienne Bourse du commerce représente Goethe, fils d'une famille noble de Francfort lorsqu'il étudiait à l'université de Leipzig de 1765 à 1768.

Fortsetzung der Einleitung

Im damals bedeutenden „Graphischen Viertel" hatten viele bekannte Verlage und Druckereien ihre Häuser.

Seit der Wiedervereinigung Deutschlands entfaltet sich die Leipziger Buchmesse zu alter Größe und bildet als Frühjahrsmesse ein Pendant zu der immer im Herbst stattfindenden weltgrößten Buchmesse in Frankfurt am Main. Die Tradition Leipzigs als eine bedeutende Buchstadt repräsentiert die Deutsche Bücherei, die von 1913 bis 1916 entstand. Dieser Einrichtung ist das Deutsche Buch- und Schriftmuseum angegliedert.

Kaum eine andere Stadt in den neuen Bundesländern wurde nach der Wiedervereinigung Deutschlands so umfassend saniert wie Sachsens größte Stadt Leipzig. Ein Beispiel dafür ist auch der neugestaltete Hauptbahnhof – Deutschlands größter Kopfbahnhof - mit dem neu integrierten großen Einkaufszentrum. Hier wurde 1998 eine 30.000 qm große Verkaufsfläche mit Cafés und Restaurants auf drei Ebenen fertiggestellt.

Die Stadt zeigt sich mit innovativer Kraft bei Bewahrung ihrer alten Werte und präsentiert sich zur Jahrtausendwende in neuem Glanz.

End of introduction

In the second half of the 18th century, the publisher Göschen published works by Lavater, Klopstock, Wieland, Goethe and Schiller. The German Book Trade Association was founded in Leipzig. The Leipzig business address book of 1930 includes entries for almost 300 publishers and printers. That put Leipzig on a par with Mainz at the very top of the trade. Many famous publishers and printers had their premises in the prominent "Graphic Quarter".

Since Germany's reunification, the Leipzig Book Fair has recovered some of its former glory. As a spring fair it is a counterpart of the international fair that takes place every autumn in Frankfurt am Main. Leipzig's tradition as an important centre of the book trade is symbolized by the German Library, established between 1913 and 1916, and now part of the German Book and Print Museum.

No other city in the former East Germany was so extensively restored after reunification as Saxony's great city of Leipzig. One example is the re-designed main station, Germany's largest terminal building since the completion, in 1998, of a new three-storied shopping mall with a sales area of 30,000 square metres.

The city is one of innovative strength and stable tradition, entering the new millenium with refurbished glory.

Suite de l'introduction

Depuis la réunification de l'Allemagne la foire du livre de Leipzig, qui a lieu au printemps, a retrouvé sa grandeur passée et fait pendant à la foire du livre de Francfort sur le Main, qui se tient toujours en automne et jouit d'une renommée internationale. La Deutsche Bibliothek, construite entre 1913 et 1916, atteste de l'importante tradition de Leipzig dans le domaine du livre. Cette bibliothèque abrite également le musée allemand du livre et du manuscrit. Peu d'autres villes dans les nouveaux Bundesländer ont été aussi totalement rénovées que Leipzig, la plus grande ville de Saxe. La nouvelle gare réaménagée en fournit un bon exemple: un immense centre commercial sur trois niveaux, d'une surface de 30 000 mètres carrés, achevé en 1998 et intégré à la gare, en fait la plus grande gare terminus d'Allemagne.

Leipzig allie modernité et respect des traditions et se présente au tournant du siècle avec un rayonnement nouveau.

Johann
Wolfgang
Goethe

BULGARIEN

THOMASKIRCHE

Weniger als einen Quadratkilometer misst das Stadtzentrum. Das Luftbild (S.8/9) zeigt von links nach rechts den Hauptbahnhof, das Alte Rathaus am Markt, dahinter die Nikolaikirche, in der Mitte die Thomaskirche, das Uni-Hochhaus und das Neue Rathaus mit dem hohen Rundturm. – Zum Pflichtprogramm des Leipzigtouristen gehört ein Besuch der Thomaskirche, der Wirkungsstätte von J.S.Bach (von 1723 bis 1750). Hier versah er nicht nur sein Amt als Kantor, sondern leitete auch den Thomanerchor - einen der traditionsreichsten und berühmtesten Knabenchöre der Welt.

CHURCH OF ST. THOMAS

The city centre covers an area of barely more than one square kilometre (p.8/9). From the air we can see the main station from left to right, the old town hall on the market square with the Nikolaikirche behind it, the Church of St. Thomas in the centre, the university building and the town hall with its round tower. - A visit to the Church of St. Thomas, where J.S. Bach worked from 1723-1750 is a must. He was not only the cantor, but also choirmaster of the St. Thomas Choir - one of the most famous children's choirs in the world.

L´EGLISE SAINT-THOMAS

Le centre ville s'étend sur à peine plus d'un kilomètre carré (p.8/9) La vue aérienne montre de droite à gauche la gare, l'ancien hôtel de ville sur la place du marché, à l'arrière-plan l'église Saint-Nicolas, au centre l'église Saint-Thomas, la tour de l'université et la mairie avec sa haute tour ronde. Une visite s'impose: l'église Saint-Thomas qui accueillit J.S. Bach de 1723 à 1750 et dans laquelle il assumait les fonctions de cantor et dirigeait le chœur Thomaner, un chœur d'en-fants riche en traditions, aujourd'hui de renommée internationale.

BACHDENKMAL an der Thomaskirche

An den „Kantor aller Kantoren" erinnert das von Carl Seffner gestaltete Bachdenkmal, welches auf dem Thomaskirchhof vor der Thomaskirche steht. Vor dem Monument finden im Sommer Konzerte statt. Als Bach die Leitung des Thomaskantorats und des berühmten Thomanerchores übernahm, gab er das Amt eines Hofkapellmeisters in Köthen auf. In Leipzig schrieb Bach seine Hauptwerke: Die „Johannespassion" (1724), die „Matthäuspassion" (1729) sowie viele Kantaten und Orgelwerke.

Bach Statue - Church of St. Thomas

The statue by Carl Seffner in the churchyard in front of the Church of St. Thomas shows the "cantor of all cantors", J.S. Bach. Concerts are held here in the summer. When Bach took up his duties as cantor and choirmaster, he gave up his post as musical director in Köthen. Bach wrote his most important works in Leipzig: the Passion according to St. John (1724), Passion according to St. Matthew (1729), as well as many cantatas and organ pieces.

Monument de Bach

La statue créée par Carl Seffner et placée devant l'église Saint-Thomas représente «le cantor des cantors». En été des concerts sont donnés devant ce monument. Lorsque Bach devint cantor à Saint-Thomas, il quitta ses fonctions de maître de chapelle à la cour de Köthen. A Leipzig, Bach écrivit ses chefs d'œuvre: «Passion selon Saint-Jean» (1724), «Passion selon Saint-Matthieu» (1729) ainsi que de nombreuses cantates et œuvres pour orgue.

THOMASKIRCHE

Die Thomaskirche zählt zu den bedeutendsten spätgotischen Hallenkirchen Sachsens. Ende des 15. Jh. erhielt das Langhaus weitgehend sein heutiges Aussehen. Umfassende Baumaßnahmen wurden noch einmal Ende des 19. Jh. unter Constantin Lipsius vorgenommen, wobei auch das neugotische Spitzwerk am Westportal entstand. Für die Bach-Enthusiasten steht die Thomaskirche im Ruf einer Weihestätte: Wirkte doch hier der geniale Kantor die längste Zeit seines Lebens.

CHURCH OF ST. THOMAS

The Church of St. Thomas is one of the most important late Gothic hall churches in Saxony. The nave and side aisles in their present form date back to the end of the 15th century. Extensive building work was undertaken again at the end of the 19th century under Constantin Lipsius, during which the neo-Gothic feature at the west portal was created. For Bach enthusiasts, the Church of St. Thomas is something of a place of pilgrimage; the musical genius spent the greatest part of his creative life here.

L´EGLISE SAINT-THOMAS

L'église Saint-Thomas compte parmi les plus importantes églises de style gothique flamboyant de la Saxe. La nef principale avait à la fin du 15ème siècle en grande partie son aspect actuel. D'importants travaux furent entrepris fin du 19ème siècle sous Constantin Lipsius afin d'ériger la flèche de style néo-gothique du portail ouest. Pour les fans de Bach, l'église Saint-Thomas est un lieu de pèlerinage: c'est ici que le génial cantor a travaillé pendant la plus longue période de sa vie.

THOMASKIRCHE, Altarraum

Der Thomanerchor ist aus der im Jahre 1212 gegründeten Thomasschule hervorgegangen. Regelmäßige Konzertreisen in alle Welt unternimmt der Chor seit 1920. Berühmte Kantoren nach Bach waren Karl Straube und Günther Ramin. Zur schönen Regelmäßigkeit sind Aufführungen von Bachs Kantaten und Motetten am Freitag und am Samstag sowie am Sonntag zum Gottesdienst geworden. Das Bild zeigt den Thomanerchor beim Vortrag der Matthäus-Passion von Johann Sebastian Bach mit einer kleinen Besetzung des Gewandhausorchesters und des Gewandhaus-Kinderchores.

THOMASKIRCHE, Altar

The Thomanerchor has its origins in the St. Thomas School founded in 1212. Since 1920, the choir has undertaken regular concert tours all over the world. Karl Straube and Günther Ramin were two of the famous cantors who followed Bach. Bach's cantatas and motettes are sung regularly on Fridays and Saturdays, as well as in the Sunday services. The photo shows the choir singing the Passion according to St. Matthew by Johann Sebastian Bach with part of the Gewandhaus Orchestra and the Gewandhaus Children's Choir.

THOMASKIRCHE, Chœur

Le chœur Thomaner est issu de l'école Saint-Thomas fondée en 1212. Depuis 1920 le chœur effectue souvent des tournées dans le monde entier. Karl Straube et Günther Ramin furent après Bach de célèbres cantors. Les cantates et les motets de Bach sont joués très régulièrement les vendredis et samedis ainsi que le dimanche pour l'office religieux. La photo montre le choeur Thomaner interprétant la «Passion selon Saint-Matthieu» de Jean Sébastien Bach avec une partie de l'orchestre et du chœœur du Gewandhaus.

Der geniale Musikdirektor und Komponist hatte seine Wohnung im Hause der Thomasschule, als er am 22. Mai 1723 in Leipzig eintraf (Gemälde von Toby Edward Rosenthal 1870). Ein Bach-Museum wurde im Bosehaus am Thomaskirchhof Nr. 16 eingerichtet. – Gemütliche Weinstuben und Kaffeehäuser mit Straßencafés auf dem Thomaskirchhof und am Barfußgässchen laden zur fröhlichen Einkehr. Das traditionsreichste Kaffeehaus ist der „Kaffeebaum" in der „Kleinen Fleischergasse", ältestes erhaltenes Kaffeehaus Deutschlands.

The great musical director and composer lived in the St. Thomas School building when he arrived in Leipzig on 22nd May 1723 (painting by Toby Edward Rosenthal in 1870). The school building was pulled down to make room for a new superintendent's building in 1903, and a Bach museum was opened in the Bose building by the churchyard instead. – Leisurely wine taverns and cafés with open-air terraces by the church and along the Barfußgäßchen are an invitation to stop and enjoy yourself. The café with the longest tradition is the Kaffeebaum.

L'immense directeur musical et compositeur s'installa dans un appartement à l'école Saint-Thomas, lorsqu'il arriva à Leipzig le 22 mai 1723 (tableau de Toby Edward Rosenthal, 1870). L'école dut faire place à une construction neuve de la surintendance en 1903. On installa alors un musée Bach dans la Bosehaus. – Dans le Thomaskirchhof et le Barfussgässchen, des bars accueillants et des cafés avec terrasses invitent les promeneurs à s'asseoir. Le café le plus traditionnel est le «Kaffeebaum» dans la «Kleine Fleischergasse».

Café

Es hat sich herumgesprochen: Ist man in Leipzig, isst und trinkt man gut. Dabei sind die Bier-Restaurants eine bevorzugte Adresse - wie die Paulaner-Gaststätte im Haus Nr. 5 (Bild unten). Das hervorragend restaurierte Rokokogebäude wurde um die Mitte des 18. Jh. errichtet. – Prachtvoll restaurierte Wohn- und Geschäftshäuser am Dittrichring strahlen wieder im alten Glanz. Im Hintergrund sieht man die Wahrzeichen der Stadt, die Thomaskirche, das Alte Rathaus und die Turmspitze der Nikolaikirche.

It's no longer a secret: if you're in Leipzig, you'll wine and dine well. For example in the beer restaurants, such as the Paulaner Restaurant in no. 5 (below). The magnificently restored rococo building that houses the latter dates back to about the middle of the 18th century. – Beautifully restored hotels, residential and commercial buildings on the Dittrichring shine forth in new splendour. In the background you can see the city's landmarks, the Church of St. Thomas, the old town hall and the tip of the tower of the Nikolaikirche.

La réputation de la ville n'est plus à faire: à Leipzig, on mange et on boit bien. Les brasseries sont prisées par les gourmets - par exemple la «Paulaner Gaststätte» (photo ci-dessous). Ce bâtiment rococo magnifiquement restauré fut construit au milieu du 18ème siècle. – Les hôtels, maisons particulières et boutiques rénovés avec soin ont retrouvé leur faste d'antan. A l'arrière-plan, on aperçoit les blasons de la ville, l'église Saint-Thomas, l'ancien hôtel de ville et la flèche de l'église Saint-Nicolas.

ALTES RATHAUS mit Markt

Leipzigs Altes Rathaus gilt als eines der ältesten und schönsten Deutschlands. Der repräsentative Renaissance-Bau (1556) wurde in nur neun Monaten errichtet und beherrscht nahezu die gesamte Ostseite des Marktplatzes. Besonders eindrucksvoll präsentieren sich die Treppengiebel und die später angebauten steinernen Laubengänge fügen sich harmonisch ein. Ein Prachtstück im Innern stellt der Festsaal dar, in dem heute Kammerkonzerte veranstaltet werden. Übrigens verfügt das Alte Rathaus über das einzige authentische Bild von Johann Sebastian Bach.

Leipzig's old town hall is one of the oldest and finest in the whole of Germany. The splendid Renaissance building (1556) was put up in just nine months and dominates almost the whole eastern side of the market square. The staircase gable and the stone arcades (a later addition) blend in harmoniously. The showpiece in the interior is the banquet hall, where chamber concerts are held today. Interestingly enough, the old town hall houses the only authentic portrait of Johann Sebastian Bach.

L'hôtel de ville de Leipzig est considéré comme le plus ancien et le plus beau d'Allemagne. Le bâtiment Renaissance (1556) fut construit en neuf mois et borde la place du Marché. Les rampes d'escaliers sont majestueuses et à l'intérieur la splendide salle des fêtes sert maintenant pour des concerts de musique de chambre. L'hôtel de ville possède l'unique portrait authentique de Jean Sébastien Bach.

GRIMMAISCHE STRASSE / REICHSHOF ▷

Zum Einkaufen geht man gerne in die auf Hochglanz gebrachte Grimmaische Straße in der City.

Would-be shoppers head for the bright lustre Grimmaische Straße in the city centre.

Pour faire les courses on se rend dans la Grimmaische Strasse, une rue faire briller du centre-ville.

SALAMANDER

MÄDLER-PASSAGE

Als attraktive Einkaufsmeilen laden im Zentrum die vornehmen Passagen ein. Eine exklusive Adresse ist die Mädler-Passage, die der Fabrikant Anton Mädler von 1912-1914 errichten ließ. Dafür riss er den alten Auerbachs Hof ab. Weithin über die Grenzen Leipzigs hinaus bekannt ist AUERBACHS KELLER in der Mädler-Passage. Goethe schrieb: „Wer nach Leipzig zur Messe gereist, ohne auf Auerbachs Hof zu gehn, der schweige still, denn er beweist: Er hat Leipzig nicht gesehn."

MÄDLER-PASSAGE

The elegant shopping precincts in the city centre are an attractive place to shop. Foremost and the most exclusive among them is the Mädler-Passage, built by the factory owner Anton Mädler between 1912 and 1914. The old Auerbachs Hof was pulled down to make way for it. The fame of Auerbachs Keller in the Mädler-Passage has spread far beyond the bounds of Leipzig. Goethe wrote: "If you go to Leipzig to the fair without visiting Auerbachs Hof, you'd best be silent, for this only proves that you haven't seen Leipzig."

MÄDLER-PASSAGE

D'élégants passages rendent le shopping au centre ville très attractif. Le fabricant Anton Mädler fit construire de 1912 à 1914 le Mädler-Passage, qui devint une adresse à la mode. Pour cela il fit démolir l'ancienne Auerbachs Hof. Le AUERBACHS KELLER, installé dans le Mädler-Passage, est connu bien au-delà de Leipzig. Goethe écrivit: «Celui qui se rend à la foire de Leipzig sans aller au Auerbachs Hof, qu'il reste silencieux car il prouve une chose: il n'a pas vu Leipzig».

Vor den zwei Eingängen weisen zwei Bronzegruppen „Mephisto mit Faust" und „Drei lustige Gesellen" in die Kellergewölbe. Goethe hat in seiner Faust-Tragödie den historischen Weinkeller berühmt gemacht. – Im historischen Weinrestaurant (Folgeseite) grüßt die Gäste von der Decke ein aus einem einzigen Lindenbaumstamm gefertigter Hängeleuchter (1910-1912) mit der Darstellung der „Walpurgisnacht" und dem legendären Fassritt mit Faust.

At the entrance two bronze statues of "Mephisto with Faust" and "Three jolly fellows" point the way into the cellar. Goethe made the historic wine cellar (on the right in the Passage) famous with his tragedy, Faust. Hanging from the ceiling in the old restaurant is a chandelier made from a single lime-tree trunk. It depicts the legendary "Barrel ride with Faust" and Walpurgisnacht.

Deux groupes de bronze «Méphisto avec Faust» et «Les trois joyeux compagnons» indiquent les deux entrées du caveau voûté. Cette taverne historique -située à droite dans le Passage- a été rendue célèbre par Goethe dans son drame «Faust» Dans cette taverne, les regards des clients sont attirés par un lustre taillé dans une tilleul-seule souche. Il représente la légendaire «chevauchée du tonneau par Faust» et la nuit de Walpurgis.

Faust: Du sollst leben! Margarethe: Gericht Gottes, dir hab ich mich ergeben
Mephisto (zu Faust): Komm, komm! Ich lasse dich mit ihr im Stich.

AUERBACHS KELLER

Der Fassritt soll ja sogleich nach der Eröffnung des Kellers anno 1525 stattgefunden haben. Daran erinnert Goethe in seiner Dichtung: „Ich hab' ihn selbst hinaus zur Kellertüre auf einem Fasse reiten sehn." Goethe, der von 1765-1768 in Leipzig studierte, war zweifellos häufig Gast in diesem Gewölbe gewesen. – Der Holzstich (Bild rechts) nach einem Gemälde von Eduard Grützner (1846-1925) zeigt Faust und Mephisto beim Eintritt in Auerbachs Keller.

AUERBACHS CELLAR

The ride on the barrel is said to have taken place immediately after the tavern was opened in 1525. Goethe reminds us of the legend: "I saw him riding on a barrel to the cellar door with my very eyes." Goethe, who was a student in Leipzig from 1765 to 1768, almost certainly spent a lot of time in the tavern. – The wood carving (right) based on a painting by Eduard Grützner (1846-1925) depicts Faust and Mephisto as they enter Auerbachs Keller.

LE CAVEAU D´AUERBACH

La chevauchée du tonneau aurait eu lieu dès l'ouverture du caveau en 1525. Cet épisode est évoqué par Goethe dans son poème «Je l'ai vu moi-même arriver à la porte de la cave en chevauchant un tonneau». Goethe, qui fit ses études à Leipzig de 1765 à 1768, fut incontestablement un hôte assidu de ce caveau. – La gravure sur bois (photo de droite) d'après une toile de Eduard Grützner (1846-1925) montre Faust et Méphisto à leur arrivée au Auerbachs Keller.

Speck's Hof

SPECKS HOF

Im Viertel um die Nikolaikirche künden eine Reihe alter Handels- und Messehäuser vom verflossenen Messe-Glanz: Etwa „Steibs Hof" (1907), das Handelsgebäude „Strohsack"; vor allem der „Specks Hof", der wohl schönste Handelshof Leipzigs, benannt nach dem Freiherrn Maximilian Speck von Sternburg. Das Gebäude ist nach gründlicher Renovierung in ein modernes Büro- und Geschäftshaus umgewandelt worden. In ein Architekturmuseum von bestrickendem Charme fühlt man sich in den Lichthöfen der Passage des Specks Hofes versetzt.

SPECKS HOF

A number of old trade and fair buildings in the area round the Nikolaikirche are evidence of Leipzig's former glory as a trade fair centre: for example "Steibs Hof" (1907), the "Strohsack" building, and above all "Specks Hof", probably Leipzig's finest, named after Baron Maximilian Speck von Sternburg. After extensive renovations, the building has been converted into a modern office and commercial building. In the patios of Specks Hof you could be forgiven for thinking you were in an architectural museum of captivating charm.

SPECKS HOF

Dans le quartier autour de l'église Saint-Nicolas, plusieurs bâtiments destinés au commerce et à la foire évoquent le charme des foires d'antan : le «Steibs Hof» (1907), le comptoir «Strohsack» et surtout le «Specks Hof», les plus belles halles de Leipzig, du nom du baron Maximilian Speck von Sternburg. Elles furent entièrement rénovées et transformées en immeuble moderne avec des bureaux et des magasins. Le charme envoûtant du musée de l'architecture nous fait revivre les cours intérieures du Passage du Specks Hof.

Eiscafe
San Remo
Gelateria
EIS
EISCAFÉ
an Remo
MAREDO
MAREDO

◁ NIKOLAISTRASSE

In der warmen Sommerzeit findet man hier in den Fußgängerbereichen der City Restaurants mit Straßencafés für boulevardfreudige Gäste, die bis tief in die Nacht geöffnet sind. Das Bild zeigt Strassencafés in der Nikolaistraße neben dem Specks Hof.

On warm summer days, the open-air restaurants in the pedestrian precincts of the city are buzzing till late at night. The photo shows terraces in the Nikolaistraße opposite Specks Hof.

Par les chaudes nuits d'été les flâneurs sur les boulevards peuvent s'attarder aux terrasses des restau-rants situés dans la zone piétonne. La photo montre des terrasses sur la Nikolaistrasse, en face du Specks Hof.

BARTHELS HOF ▷

Zu den erhalten gebliebenen Barockbauten zählt auch der „Barthels Hof"; der Renaissance-Erker, der mit einer goldenen Schlange verziert ist, diese gab dem Gebäude einst die Bezeichnung „Zur goldenen Schlange". Hier werden die Gäste mit erlesener sächsischer Küche verwöhnt.

Among the baroque buildings that have survived is the "Barthels Hof"; it was once called "The golden serpent" because of the Renaissance gable, decorated by a golden serpent winding itself round a cross. Nowadays the Barthels Hof spoils its guests with select Saxon cuisine.

Parmi les édifices de l'époque baro-que encore conservés, on compte également le «Barthels Hof»: l'en-corbellement Renaissance, orné par un serpent doré qui s'enroule autour d'une croix, donna autrefois au bâtiment son nom «Au serpent doré». Aujourd'hui le «Barthels Hof» comble ses clients avec sa cuisine saxonne raffinée.

Allianz
HOTEL

Die Leipziger Universität gehört zu den ältesten Deutschlands (1409). Im Volksmund wird der 1968-75 erbaute Universitätsturm (142 m) als „Weisheitszahn" bezeichnet. – Kein Gebäude der Stadt ist mit den Ereignissen der jüngsten Geschichte so tief verbunden wie Leipzigs ältestes Gotteshaus: Die Nikolaikirche von 1165, die dem Schutzpatron der Kaufleute geweiht wurde. Hier fanden die legendären „Montagsgebete" statt, die mit den „Montagsdemonstrationen" zur Wiedervereinigung Deutschlands führten.

Leipzig University is one of the oldest in Germany (1409). The 142-metre high former university tower (build 1968-75) is called the "wisdom tooth" by the locals. – No other building in the city is so closely linked to the events of recent history as Leipzig's oldest church, the Nikolaikirche of 1165, dedicated to the patron saint of merchants. This is where the legendary "Monday Prayers" took place, which, along with the "Monday Demonstrations", led to the reunification of Germany.

L'université de Leipzig fait partie des plus anciennes d'Allemagne (1409). On appelle familièrement la ancien tour de l'université haute de 142 mètres «la dent de sagesse» (con-struction 1968-75). – Aucun autre monument de la ville n'est autant lié aux événements de l'histoire récente que la plus vieille église de Leipzig, l'église Saint-Nicolas, datant de 1165 et dédiée au patron des marchands. Dans cette église eurent lieu les légendaires «prières du lundi» suivies des «manifestations du lundi» qui favori-sèrent la réunification de l'Allemagne.

NIKOLAIKIRCHE

Die Kirche wurde im 12. Jahrhundert. an der Kreuzung von zwei Handelswegen gegründet. Der achteckige Mittelturm (1555) wurde nach Plänen des Leipziger Bürgermeisters Lotter gebaut. Die kunstvolle Gestaltung des romantisch-klassizistischen Innenraumes stammt von C. Dauthe und dem Gründer der Leipziger Zeichenschule A.F. Oeser. Kannelierte Säulen enden in filigranen Palmwedeln, und die prächtigen Emporen ruhen auf korinthischen Säulen. Der Friedensengel über Oesers Altarbild galt als Schutzpatron für die Montagsgebete.

NIKOLAIKIRCHE

The church was founded around the 12th century at the place where two trade routes crossed. The octagonal central tower (1555) was designed by the Leipzig mayor Lotter. The decoration of the interior in a romantic-classical style was the work of C. Dauthe and A.F. Oeser, the founder of the Leipzig school of art. Fluted pillars end in filigree palm branches, and the magnificent galleries rest on Corinthian pillars. The Angel of Peace above Oeser's altar painting was considered the protective angel of the Monday Prayers.

L´EGLISE SAINT-NICOLAS

L'église fut fondée du 12ème siècle au carrefour de deux voies de commerce. La tour centrale octogonale (1555) fut construite d'après les plans de Lotter, maire de Leipzig. L'aménagement intérieur de style romantique et classique fut l'œuvre de C. Dauthe et A.F. Oeser, le fondateur de l'Académie de dessin de Leipzig. Des colonnes cannelées se terminent par des palmes en filigrane et les galeries somptueuses reposent sur des colonnes corinthiennes.

Der mächtige Bau steht auf den Resten der alten Pleißenburg, mit einem 114 m hohen Turm. Zwei Löwen, die Wappentiere von Leipzig, bewachen den Haupteingang, und die Rathausuhr mahnt an unsere Vergänglichkeit mit der Inschrift: „Mors certa, hora incerta" (Der Tod ist gewiss, die Stunde ungewiss). An der Südseite dieses Monumentalbaus symbolisieren fünf Skulpturen die Tugenden der Stadt: Das Recht, die Buchkunst, die Wissenschaft und die Musik sowie das handwerkliche und kaufmännische Gewerbe. Das Haupttreppenhaus präsentiert sich im Stil der Neorenaissance.

The magnificent building stands on the remains of the old Pleißenburg with a 114-metre high tower. Two lions, Leipzig's heraldic animals, guard the main entrance, and the town hall clock reminds us of our mortality with its inscription "Mors certa, hora incerta" (Death is certain, the hour uncertain). Five sculptures on the southern side of this monumental building symbolize the city's virtues: law, book design, science, music and craftsmanship and trade. The magnificent main staircase is in neo-Renaissance style.

Le bâtiment imposant avec sa tour de 114 mètres se dresse sur les anciens vestiges de la citadelle «Pleissenburg». Deux lions, les animaux héraldiques de Leipzig, gardent l'entrée principale et l'inscription sur l'horloge de la mairie nous rappelle que nous sommes mortels: «Mors certa, hora incerta» (La mort est certaine, l'heure incertaine). Cinq sculptures symbolisent les activités de la ville: le droit, l'édition, la science et la musique ainsi que l'artisanat et le commerce. On peut admirer le magnifique escalier de style néo-Renaissance.

Der im Bild dunkel erscheinende Kuppelbau des ehemaligen Reichsgerichts wirkt symbolisch für die „Schatten der Vergangenheit". Kaiser Wilhelm II. legte 1888 den Grundstein für die höchste Gerichtsinstanz des Deutschen Reiches. Der repräsentative Monumentalbau, den eine 68 Meter hohe Kuppel krönt, wurde am Rande des Musikviertels errichtet. Von 1952-1997 war in dem Gebäude das Museum der bildenden Künste beheimatet. Im Plenarsaal (Bild unten) fand 1933 der spektakuläre „Reichstagsbrandprozess" statt.

The dark-looking building on the photo with the dome is the former Reichsgericht and a symbol of the dark side of the past. In 1888 Emperor William II laid the foundation stone of what was to become the supreme court. The monumental building topped by a 68-metre high dome was erected on the edge of the music quarter, near the New Gewandhaus. From 1952-1997 the building was converted into the Museum of the forming arts. In the assembly hall (photo) the ominous "Reichstag Fire Case" was tried in 1933.

Resté dans l'ombre sur la photo, l'édifice à coupoles de l'ancien tribunal du Reich (Reichsgericht) symbolise les «ombres du passé». L'empereur Guillaume II posait en 1888 la première pierre de la plus haute instance juridique de l'Empire allemand. Le bâtiment imposant, que couronne une coupole de 68 mètres, fut con-struit à la lisière du quartier de la musique, près du Gewandhaus. Sur 1952-1997 ce bâtiment de-vint un musée. Dans la salle du tribunal (photo) se déroula en 1933 le spec-taculaire «procès de l'incendie du Reichstag».

Neben dem Thomanerchor besitzt Leipzig einen weiteren Klangkörper von Weltrang: Das Gewandhausorchester. Es konnte 1981 zu seinem 200-jährigen Bestehen in sein neues Gebäude am Augustusplatz einziehen - ein aus Glas und Beton errichteter moderner Konzertsaal mit ausgezeichneter Akustik. Der Große Saal verfügt über 1973 Sitzplätze und der Kammermusiksaal über 500 Plätze. Unter der Schuke-Orgel befindet sich das Motto, das bereits die beiden Vorgängerbauten zierte: „Res severa verum gaudium est" (Freude zu bereiten, ist eine ernste Sache).

Apart from the St. Thomas Choir, Leipzig has another world-class musical performer, the Gewandhaus Orchestra. In 1981, the 200th anniversary of its foundation, it was able to move into its new building on Augustus Square - a modern glass and concrete concert hall with excellent acoustics. The Great Hall has a capacity of 1973 seats, and the Chamber Music Hall 500. Beneath the Schuke organ is the maxim with which the two previous buildings were decorated: "Res severa verum gaudium est" (True pleasure is a serious business).

En plus du chœur Thomaner, Leipzig possède une autre institution musicale de renommée internationale: le Gewandhausorchester. Il a pu emménager en 1981 pour son 200ème anniversaire dans un nouveau bâtiment – une salle de concert moderne en verre et béton à l'acoustique excellente. La grande salle peut accueillir 1973 auditeurs et la salle de musique de chambre 500. Sous l'orgue Schuke se trouve la devise qui ornait déjà les bâtiments précédents: «Res severa verum gaudium est» («Donner du plaisir est une affaire sérieuse»).

RES SEVERA VERUM GAUDIUM

BEETHOVEN-PLASTIK

Zu den bedeutendsten Arbeiten Max Klingers (1857-1920) zählt die Beethoven-Plastik, die im Foyer des kleinen Gewandhaussaales steht. Als Arthur Nikisch die musikalische Leitung des Gewandhauses innehatte, leitete er eine Beethoven-Renaissance ein.

BEETHOVEN STATUE

One of Max Klinger's (1857-1920) most important works is the statue of Beethoven in the foyer of the small concert hall in the Gewandhaus. When Arthur Nikisch was musical director of the Gewandhaus, the Leipzig Orchestra gained a worldwide reputation.

STATUE DE BEETHOVEN

Parmi les œuvres les plus significatives de Max Klinger (1857-1920) se trouve la statue de Beethoven placée dans le foyer de la petite salle du Gewandhaus. Lorsque Arthur Nikisch prit la direction musicale du Gewandhaus, il fit naître un nouvel engouement pour Beethoven.

Felix Mendelssohn-Bartholdy

Der Gründer des ersten Musikkonservatoriums Deutschlands ist Felix Mendelssohn-Bartholdy (1809-1847). Als dem jungen Komponisten 1835 die Leitung des Gewandhausorchesters übertragen wurde, erlangte es bereits frühen Ruhm.

The founder of the first conservatoire in Germany was Felix Mendelssohn-Bartholdy (1809-1847). When the young composer was made director of the Gewandhaus Orchestra in 1835, it achieved early fame.

Félix Mendelssohn-Bartholdy (1809-1847) est le fondateur du premier conservatoire de musique d'Allemagne. Lorsque l'on confia en 1835 au jeune compositeur la direction de l'orchestre du Gewandhaus, celui-ci acquit aussitôt une célébrité précoce.

Der schwere Luftangriff am 4. Dezember 1943 zerstörte auch das Neue Theater, das an der Nordseite des Augustusplatzes stand und 1868 eingeweiht wurde. An gleicher Stelle entstand Leipzigs neues Opernhaus, das mit einer Aufführung von Richard Wagners „Meistersinger" 1960 eröffnet wurde. Ihm zu Ehren stellte man am nahen Schwanenteich ein Denkmal auf. Der Komponist wurde 1813 „am Brühl" geboren; sein Geburtshaus wurde abgerissen. – Das Bühnenbild zeigt eine Szene aus Tschaikowskis Ballett „Dornröschen".

The heavy air raid of 4th December 1943 destroyed the New Theatre, officially opened in 1868 on the north side of Augustus Square. Leipzig's new opera house was built on the same site and opened with a production of Wagner's Meistersinger in 1960. A statue was erected in his honour by the nearby Schwanenteich. The composer was born in 1813, but his birthplace has been pulled down. – The opera photo shows a scene from Tchaikovsky's ballet "Sleeping Beauty".

La violente attaque aérienne du 4 décembre 1943 détruisit aussi le «Neues Theater», situé au nord de la Augustusplatz et inauguré en 1868. On construisit sur cet emplacement le nouvel Opéra de Leipzig, qui fut ouvert en 1960 par une représentation des «maîtres chanteurs» de Richard Wagner. Pour lui rendre hommage, on a élevé une statue du compositeur au bord du lac aux cygnes tout proche. Richard Wagner est né en 1813 à Brühl, sa maison natale a été détruite. – La photo montre une scène du ballet de Tchaïkovski «la Belle au bois dormant».

Das Leipziger Musikinstrumenten-Museum zählt zu den bedeutendsten Einrichtungen seiner Art. Es verfügt zudem über eine der umfangreichsten Sammlungen von Instrumenten aus der Bachzeit. Das Bild unten zeigt Musikinstrumente der Bachzeit aus dem Museum, unter anderem ein deutsches Cembalo. Rechts im Bild der älteste, vollständig erhaltene Hammerflügel der Welt (18. Jh.). Mit diesem Prunkstück präsentierte sich das Museum 300-jährigen Jubiläum der Erfindung des Hammerklaviers im Jahr 2000.

The Leipzig Museum of Musical Instruments is one of the leading museums of its kind. It also houses one of the most extensive collections of instruments from Bach's time. Keyboard instruments were his great love. On the left are musical instruments from the Bach period housed in the museum, including a German cembalo. On the right is the oldest hammer grand piano in the world still in its original form (18th. century). This show-piece was the centre of attraction at the 300th anniversary of the invention of the hammer piano at the museum in the year 2000.

Le musée des instruments de musique compte parmi les plus remarquables institutions dans ce domaine. Il possède la collection la plus com-plète d'instruments de l'époque de Bach. Sa préférence allait cependant aux instruments à claviers. A gauche sur la photo, des instruments de musique exposés dans le musée et datant de l'époque de Bach, en autres un clavecin alle-mand. A droite sur la photo, le plus ancien piano entièrement conservé (18ème siècle). Avec ce joyau, le musée est prêt pour fêter en l'an 2000 le 300ème anniversaire de l'invention du piano.

Hier wohnte
SCHILLER
und schrieb das
Lied an die Freude
im Jahre

Als Friedrich Schiller am 17. April 1785 in Leipzig eintraf, bewohnte er zunächst ein Zimmer in der Hainstraße. Anfang Mai wechselte er nach Gohlis, das damals noch ein Dorf war. Hier schrieb er den „Fiesco" und den „Don Carlos". Zu seinem Freundeskreis zählten auch der Zeichenlehrer Oeser und der Buchhändler Göschen. Der Dichter bezeichnete seine Leipziger Zeit als die glücklichste seines Lebens. Das Bauernhaus, in dem Schiller damals wohnte, ist heute eine Gedenkstätte und zu besichtigen in der Menckestraße Nr. 42.

When Friedrich Schiller arrived in Leipzig on 17th April 1785, he lived initially in a room in Hainstraße. At the beginning of May he moved to Gohlis, which at the time was still a village. This is where he wrote "Fiesco" and "Don Carlos". The art teacher Oeser and bookseller Göschen were among his friends. The poet described his time in Leipzig as the happiest of his life. The farmhouse at number 42 Menckestraße which Schiller inhabited is now a memorial and open to visitors.

Lorsque Friedrich Schiller arriva à Leipzig le 17 avril 1785, il habita d'abord une chambre dans la Hainstrasse. Début mai il déménagea pour Gohlis, à cette époque un village. C'est là qu'il écrivit «Fiesco» et «Don Carlos». Le professeur de dessin Oeser et le libraire Göschen faisaient partie de son cercle d'amis. L'écrivain considérait son séjour à Leipzig comme la période la plus heureuse de sa vie. La ferme habitée par Schiller est devenue un musée que l'on peut visiter au N° 42 de la Menckestrasse.

Das Gemäuer der Moritzbastei geht auf Kurfürst Moritz von Sachsen zurück, der dieses als Stadtfestung durch den Bürgermeister Hieronymus Lotter errichten ließ. Auf den Grundmauern entstand Ende des 18. Jahrhundert. die erste Bürgerschule in Deutschland, die ein Opfer des zweiten Weltkrieges wurde. Zu den großen Söhnen der Stadt Leipzig zählt auch Gottfried Wilhelm Leibniz (1646-1716). Er war schon im Alter von 15 Jahren Hörer an der Universität Leipzig, die seine Geburtsstadt war. Leibniz zählt zu den großen Gelehrten der Frühaufklärung.

The buildings of the Mortizbastei go back to the time of Elector Moritz of Saxony who had fortifications built by the mayor Hieronymus Lotter. At the end of the 18th century, the first commoner's school in Germany was built on the foundations, a building destroyed during the Second World War. Gottfried Wilhelm Leibniz (1646-1716) is also one of Leipzig's famous sons. He was born here, and was already a student at the university at the age of 15. Leibniz is one of the great scholars of the early Age of Enlightenment.

On doit les fortifications de Moritzbastei au prince-électeur Moritz von Sachsen qui les fit élever par le bourgmestre Hieronymus Lotter comme rem-parts pour la ville. A la fin du 18ème siècle on installa sur le mur de soubassement la première école publique, détruite lors de la deuxième guerre mondiale. Leipzig compte également parmi ses fils célèbres Gottfried Wilhelm Leibniz (1646-1716). A 15 ans, il était déjà auditeur à l'université de Leipzig, sa ville natale. Leibniz fait partie des grands savants précurseurs des Lumières.

Brühl

Der 1915 fertig gestellte größte Kopfbahnhof Europas ist eine bemerkenswerte technische Leistung. Auf seinem Terrain standen früher vier Bahnhöfe: der Dresdner-, Thüringer-, Magdeburger- und der Berliner Bahnhof. Nach dem grundlegenden über 400 Millionen Mark teuren Umbau, etablierten sich über 140 Geschäfte und Läden, die zum Flanieren, Bummeln und Shopping einladen.

The main station, the largest terminal in Europe is a remarkable technical achievement. Originally there were four stations on this site, Dresden Station, Thuringia Station, Magdeburg Station and Berlin Station. After the extensive conversion costing 400 million marks, 140 shops were opened, where people can wander, window-shop and buy.

La plus grande gare terminus d'Europe, achevée en 1915, représente une prouesse technique. Le terrain était occupé autrefois par quatre gares ; au terme de travaux de grande envergure d'un coût de 400 millions de Marks, 140 commerces et boutiques s'y installèrent, permettant ainsi de flâner et de faire du shopping.

17
W
Sachsen LB
dm
19
20
21
PROMENADEN
GOSCH SYLT
Kindermode

Bis zum 2. Weltkrieg war Leipzig die bedeutendste Buchmetropole Deutschlands. Das Adressbuch von 1930 enthält allein 300 Verlagsunternehmen. Die Deutsche Bücherei etablierte sich 1912 in der sächsischen Metropole. Bereits vor der Erfindung der Druckkunst wurde in Leipzig mit Büchern gehandelt. Die Tradition der Buchherstellung bewahrt in besonders reichhaltiger und lebendiger Weise das aktive Museum für Druckkunst in Leipzig-Plagwitz. Hier wird aus alten Matritzen Schrift gegossen und ihre Herkunft erforscht, wird gesetzt und gedruckt. Und bei allem kann man zuschauen und mitmachen.

Until the Second World War, Leipzig was Germany's pre-eminent publishing city. The business adress book of 1930 lists no less than 300 publishing houses.The German Library was also set up in the Saxon metropolis in 1912. Resulted in Leipzig in the Nonnenstrasse 38, in the quarter Plagwitz the workshops and the Museum of printing art, uniquely of richness and variety of the exhibits. A museum and practising printing workshop for touching joining, ideal for courses and workshops.

Jusqu'à la deuxième guerre mondiale Leipzig était la plus importante métropole du livre de l'Allemagne. L'annuaire de 1930 comprend 300 éditeurs. La Bibliothèque nationale s'établit également en 1912 dans la métropole saxonne. Au 38 de la Nonnenstrasse, dans le quartier Plagwitz, on a crée des ateliers et le Musée de l'imprimerie, unique grâce à la richesse et à la diversité des pièces exposès. Le Musée comprend un atelier d'impri-merie qui permet de toucher et d'expérimenter, idéal pour des cours et des stages.

Das Waldstraßenviertel war vor den Zerstörungen des II. Weltkrieges immer ein repräsentatives und begehrtes Wohnviertel. Vorwiegend Jugendstil-Hausfassaden und viele aus der Gründerzeit prägten das Straßenbild. Die Restaurierung begann erst nach der Wiedervereinigung Deutschlands mit den Fördermitteln der alten Bundesländer. Im Waldstraßenviertel lebten zwei große Leipziger Persönlichkeiten: Der Maler Max Beckmann, der hier seine Kindheit verbrachte und der Komponist Gustav Mahler, der in der Rosentalgasse 12 seine erste Sinfonie komponierte.

Before devastation during the Second World War, the Waldstraßen Quarter was an exclusive and very desirable residential area, characterised by the facades from the Age of Promoterism and the Art Nouveau period. Restoration work began after reunification, thanks to funds provided by the former Federal Republic.Two famous Leipzig figures lived in the area; the painter Max Beckmann, who spent his childhood here, and the composer Gustav Mahler, who composed his first symphony at number 12 Rosentalgasse.

Le «Waldstrassenviertel» était avant sa destruction lors de la deuxième guerre mondiale un quartier résidentiel recherché, qui devait son charme principalement à ses façades modern style. La rénovation commença seulement après la réunification de l'Allemagne, grâce aux subventions des anciens Bundesländer. Dans ce quartier vécurent deux grandes personnalités de Leipzig, le peintre Max Beckmann, qui y passa son enfance et le compositeur Gustave Mahler, qui composa sa première symphonie au Nr 12 de la Rosentalgasse.

Leipzig ist die Geburtsstadt des Arztes und Pädagogen Daniel Gottlob Moritz Schreber (1808-1851). Auf ihn geht die Idee vom „Schrebergarten" und von Kinderspielplätzen zurück. Darüber hinaus bietet die Stadt Leipzig ihren Bürgern ein reichhaltiges Angebot an „Grünen Inseln" im Stadtgebiet: Den Clara-Zetkin-Park, den Rosental-Park, das Leipziger Ratsholz, Leutzscher Holz, Burgaue und den Leipziger Zoo. Auch hier war bei den früheren Planungen der berühmte Landschaftsgestalter P.J. Lenné mitbeteiligt.

Leipzig is the birthplace of the doctor and educationalist Daniel Gottlob Moritz Schreber (1808-1851). It was he who thought up the idea of allotments (called "Schrebergarten" in German) and children's playgrounds. Leipzig has extensive park areas, including the Clara-Zetkin-Park, Rosental Park, the Leipziger Ratsholz, Leutzscher Holz, Burgaue and Leipzig Zoo. The famous landscape architect P.J. Lenné was involved in the early planning.

Leipzig est la ville natale du médecin et pédagogue Daniel Gottlob Moritz Schreber (1808-1851). On lui doit l'idée des «Schreber-garten» (jardins ouvriers) et des terrains de jeux pour enfants. Leipzig offre aussi à ses habitants des «îlots de verdure» dans la ville: le Clara-Zetkin-Parc, le parc Rosental, le Leipziger Ratsholz, le zoo de Leipzig... Le célèbre pay-sagiste P.J. Lenné participa à certaines créations.

Hinter dem Waldstraßenviertel erstreckt sich der reizvolle Rosental-Park, ein Landschaftsgebiet, das auch August dem Starken gefiel, der hier einen aufwendigen Schlossbau, ein „Sächsisches Versailles", entstehen lassen wollte. Das Vorhaben scheiterte am Widerstand der Leipziger Stadtherren. So wurde dann auf Weisung von Bürgermeister Müller ein Englischer Park angelegt. Ein Denkmal erinnert an Karl Friedrich Zöllner, der das Lied „Das Wandern ist des Müllers Lust" schrieb.

Close to the Waldstraßen Quarter is Rosental Park, an attractive area which also appealed to August the Strong, who wanted to have a luxurious castle built here, a Saxon Versailles. The project came to nothing because it was resisted by the Leipzig civic leaders. At Mayor Müller's behest, an English park landscape was created instead. There is a statue in memory of Friedrich Zöllner, the composer of one of Germany's most well-known folksongs.

Derrière le «Waldstrassenviertel» s'étend le charmant parc Rosental, un paysage qui plaisait aussi à Auguste le Fort, qui voulut faire construire là un palais coûteux, un «Versailles saxon». Le projet échoua à cause du refus des conseillers de la ville. Le bourgmestre Müller fit alors aménager un jardin anglais. Un monument rend hommage à Karl Friedrich Zöllner, qui écrivit la chanson populaire «Das Wandern ist des Müllers Lust».

GOHLISER SCHLÖSSCHEN

Gohlis war im 18. Jh. ein bevorzugter Sommersitz der wohlhabenden Bürger in Leipzig. Der Ratsherr und Kaufmann J. C. Richter ließ sich hier ein kleines Schlösschen (1755-56) durch den Baumeister Friedrich Seltendorff errichten, welches ein Kleinod des Barock und des Rokoko geworden ist. Der Schlosspark ist der einzige erhalten gebliebene Barockgarten der Stadt Leipzig. Der Festsaal (Bild rechts) wurde erst um 1780 fertiggestellt; das Deckengemälde „Lebensweg der Psyche" stammt von Adam Friedrich Oeser. Hier finden heute Veranstaltungen statt.

CASTLE IN GOHLIS

In the 18th century, Gohlis was a favourite summer residence for the wealthy of Leipzig. Alderman and merchant J.C. Richter had a small castle built (1755-76) by the architect Friedrich Seltendorff, a baroque and rococo gem. The castle gardens are the only remaining baroque-style gardens in the city of Leipzig. The banquet hall (photo on the right) was not completed till after 1780; the ceiling fresco "The Life of Psyche" is by Adam Friedrich Oeser. Nowadays, concerts and literary events are held in the banquet hall.

PETIT CHATEAU A GOHLIS

Gohlis était au 18ème siècle une résidence d'été appréciée des citoy-ens aisés de Leipzig. Le marchand J.C. Richter, conseiller de la ville, s'y fit construire par l'architecte Friedrich Seltendorff un petit château, un joyau baroque et rococo. Le parc du châ-teau est le seul jardin baroque existant encore à Leipzig. La salle des fêtes (photo de droite) fut achevée seule-ment après 1780, la fresque du pla-fond est de Adam Friedrich Oeser. Aujourd'hui cette salle est utilisée pour des concerts et des réunions littéraires.

◁ Auenwald bei Lützschena

Ein Gürtel mit Auenwäldern umgibt die Stadt, wie hier die verträumte Oase bei Lützschena.

The city is encompassed by a ring of woodland, part of which is this sleepy oasis near Lützschena.

Une ceinture de prairies verdoyantes entoure la ville, comme ici cette oasis de rêve près de Lützchena.

Bayerischer Bahnhof ▷

Leipzigs ältester Bahnhof ist der „Bayerische Bahnhof" von 1842, der traditionellen „Sächsisch-Bayerischen Staatseisenbahn".

Leipzig's oldest station is the "Bavarian Station" of 1842, terminus of the traditional Saxon-Bavarian State Railway, which was to be involved in the development of the Leipzig railway network.

La plus vieille gare de Leipzig est la «Bayerischer Bahnhof» de 1842 du traditionnel «chemin de fer d'état de Saxe et de Bavière» devant être incorporé dans la future extension du réseau ferroviaire de Leipzig.

Russische Gedächtniskirche ▷

Zum Gedächtnis an die Völkerschlacht bei Leipzig (1813) wurde die Russische Gedächtniskirche für die hier gefallenen 22.000 russischen Soldaten errichtet.

The Russian Memorial Church was built in memory of the 22,000 Russian soldiers who were killed in the Battle of the Nations in 1813.

On édifia un monument commémoratif, la «russische Gedächtniskirche», en souvenir des 22000 soldats russes tombés lors de la Bataille des Nations (Völkerschlacht) en 1813.

Nach der Grundsteinlegung zur NEUEN MESSE im Frühjahr 1993 nördlich vom Stadtteil Mockau ist hier ein großer und moderner Messekomplex im europäischen Standard entstanden. Die im Frühjahr 1996 eröffnete Neue Messe kostete gut 1,3 Milliarden DM und belegt eine Gesamtfläche von fast 100.000 qm. Hierin wurden die Flächen der alten Technischen Messe und sämtliche Messehäuser, die sich bisher noch in der Innenstadt befanden, einbezogen.

After the foundation stone of the New Exhibition Centre was laid in 1993, development of a large, modern, state-of-the-art European exhibition complex began north of Mockau. The new centre was opened in 1996. It cost over 1.3 billion marks, and covers an area of almost 100,000 square metres. The old Technical Exhibition Centre and all the exhibition buildings in the city centre were included. The new western entrance hall is a special attraction.

Après la pose de la première pierre pour la «NEUE MESSE» (nouvelle foire) au printemps 1993, un site de foire immense et moderne, de rang européen, a été construit au nord du quartier Mockau. La nouvelle foire inaugurée en 1996 a coûté 1,3 milliards de Marks et couvre une surface totale de presque 100 000 m². Ce site intègre l'ancienne foire technique et tous les pavillons qui se trouvaient auparavant dans le centre de la ville.

Coca-Cola light
Coke
Coke

Die „Völkerschlacht bei Leipzig" fand vom 16. zum 19. Oktober 1813 statt und war die größte und entscheidende napoleonische Schlacht, die seine europäische Vormachtstellung beendete. Hier siegten die Armeen der Russen, Österreicher, Preußen, Schweden u.a. über die Französische Armee und ihre Verbündeten, darunter die Sachsen und Polen. Das Denkmal wurde 1913 errichtet. – Das untere Gemälde von Straßberger zeigt den Rückzug der Franzosen vor der Stadt Leipzig, im Bild die Pleißenburg, der Japanische Pavillion und die Thomaskirche.

The Battle of the Nations fought at Leipzig from 16th - 19th October 1813 was the largest and decisive battle of the Napoleonic era, ending his supremacy in Europe. This is where the armies of Russia, Austria, Prussia, Sweden and others defeated the French and their allies, among them the Saxons and the Poles. To mark the 100th anniversary of this battle of European nations, a monument was erected. – The painting by Straßberger below shows the French in retreat near Leipzig; the Pleißenburg, Japanese Pavilion and Church of St. Thomas can be seen.

La «Völkerschlacht von Leipzig» (Bataille des Nations) se déroula du 16 au 19 octobre 1813. Cette bataille décisive pour Napoléon mit fin à son hégémonie en Europe. En effet les armées russes, autrichiennes, prussiennes, suédoises furent victorieuses de l'armée française et de ses alliés dont la Saxe et la Pologne. Pour commémorer la bataille des peuples européens, on a érigé pour son 100ème anniversaire un monument. – Le tableau (en bas) de Strassberger montre le retrait des français de Leipzig, on aperçoit le Pleissenburg, le Pavillon japonais et l'église Saint-Thomas.

VÖLKERSCHLACHT-DENKMAL

Das gewaltige Monument wurde nach 15-jähriger Bauzeit am 18. Oktober 1913 im Beisein des Deutschen Kaisers Wilhelm II. und des Sächsischen Königs eingeweiht. Es ist ein Bau der Superlative, mit 91 m Höhe das größte Denkmal Deutschlands. Die gewaltige Kuppel zieren im oberen Teil 324 Reiterreliefs. Zur Plattform führen 500 Treppenstufen hinauf. Bei der Völkerschlacht fielen auf beiden Seiten insgesamt 125.000 Soldaten. Das Völkerschlacht-Denkmal steht an der Stelle, wo die Hauptkämpfe stattfanden.

Battle of the Nations Memorial

This huge monument was dedicated on 18th October 1913 after a construction period of 15 years and in the presence of Emperor William II and the King of Saxony. A 91-metre high, record-breaking edifice, the biggest monument in Germany. The upper part of the magnificent dome is decorated with 324 horsemen. A 500-stair long climb leads up to the platform. A total of 125,000 soldiers on both sides died in the battle. The memorial stands on ground where the fiercest fighting raged.

Monument commémoratif

Le monument imposant, qui nécessita 15 ans de travaux, fut inauguré le 18 octobre 1913 en présence de l'empereur allemand Guillaume II et du roi de Saxe. Un monument des superlatifs le plus grande dans alemagne. 91 mètres de haut, la coupole est ornée dans sa partie supérieure de 324 bas-reliefs de cavaliers, on accède à la plate-forme par 500 marches. La Bataille des Nations fit 125 000 morts parmi les soldats des deux camps. Le monument commémoratif se trouve à l'endroit où eurent lieu les principaux combats.

Das landschaftliche Ambiente Leipzigs kann sich sehen lassen und wird von den Bürgern Leipzigs lebhaft für Ausflüge und zur Naherholung genutzt. Hier bietet sich zum Beispiel eine Wanderung von Markkleeberg zum Wildpark im Connewitzer Holz an. Auf dem ehemaligen Bergbaugelände in der Umgebung von Grünau ist ein Naherholungsgebiet mit dem 150 Hektar großen Kulkwitzer See entstanden, den die Leipziger nicht mehr missen möchten.

The countryside around Leipzig is attractive, and the inhabitants of the city make extensive use of it for excursions and other leisure-time pursuits. For example, there is a walk from Markkleeberg to the wildlife park in the Connewitzer Holz. On land that used to be part of a mining site near Grünau, a recreational area has been created that includes the 150-hectare Kulkwitzer Lake, something the people of Leipzig could no longer imagine being without.

Les paysages des environs de Leipzig sont plaisants et appréciés des citadins pour les excursions et les loisirs. On peut faire par exemple une promenade de Markkleeberg jusqu'à la réserve d'animaux dans le Connewitzer Holz. Les habitants de Leipzig ne pourraient plus se passer de la base de loisirs aménagée sur le site de l'ancienne mine de lignite des environs de Grünau et de son lac (Kulkwitzer See) de 150 hectares.

Im Regierungsbezirk Leipzig gibt es heute noch 140 alte Herrenhäuser. In Markkleeberg befindet sich das „Weiße Haus" auf dem Gelände des „Agra-Parks", einem Naherholungsgebiet von Leipzig. Und man mag Goethe zustimmen, der 1765 an seine Schwester Cornelia schrieb: „Die Gärten sind so prächtig, als ich in meinem Leben etwas gesehen habe...."

In the administrative district of Leipzig there are still no less than 140 old castles and mansions. The "White House" is situated in Markkleeberg within the bounds of the Agra-Park, a recreational area belonging to the city. Goethe put it very aptly when he wrote to his sister Cornelia: "The gardens are as magnificent as anything I have seen in my life ..."

Dans le district de Leipzig 140 anciens châteaux subsistent de nos jours. A Markkleeberg se trouve la «Weisse Haus» (Maison Blanche) située sur le terrain du «Agra Park», devenu un parc de loisirs pour les habitants de Leipzig. Et l'on ne peut qu'être d'accord avec Goethe qui écrivait en 1765 à sa sœur Cornélia : «Les jardins sont si beaux que de ma vie je n'ai rien vu de tel...»

Wohlangesehene Herrschaften etablierten sich auf dem Lande - in Landhäusern oder barocken Schlossbauten: Etwa in Knauthain, Großdeuben, Strömthal, Otterwisch, Brandis, Lützschena. Zu Spaziergängen laden in Püchau und in Hohenprießnitz ausgedehnte Parkanlagen ein. In Nischwitz, unweit von Wurzen, ließ sich Graf Brühl, der Ministerpräsident Augusts des Starken, ein Schloss bauen. Auch der Renaissancebau Schloss Thallwitz (16. Jh) ist ein beliebter Ausflugsort.

Well-respected lordships set up home in the country - in country mansions and baroque castle buildings: for example in Knauthain, Großdeuben, Strömthal, Otterwisch, Brandis, Lützschena. The extensive parks in Püchau and Hohenprießnitz are wonderful places to take a walk. Not far from Wurzen, in Nischwitz, Count Brühl, August the Strong's Prime Minister had a castle built. Thallwitz Castle, a building in the Renaissance style (16th century) is very popular with visitors.

Des familles en vue s'établirent à la campagne - dans des maisons de campagne ou des châteaux baroques, à Knauthain, Grossdeuben, Strömthal, Otterwisch, Brandis et Lützschena. D'immenses parcs invitent à la promenade à Püchau et à Hohenpriessnitz. Non loin de Wurzen, à Nischwitz, le comte Brühl, le Premier ministre de «Auguste le Fort», se fit construire un château. La résidence Renaissance «Schloss Thallwitz» (16ème siècle) attire également de nombreux visiteurs.

Ursprünglich hat an der Stelle, wo das Schloss Machern steht, eine Wasserburg ins Land geschaut. Die Reichsgrafen von Lindenau, die über mehrere Jahrhunderte im Besitz des Gemäuers waren, ließen umfangreiche Umbauten im Stile der Renaissance und des Barock vornehmen. 1782 ließ Albrecht von Lindenau einen Landschaftspark nach romantisch-sentimentalen Vorstellungen anlegen. Diese wunderschöne Parkanlage bei Wurzen ist heute eines der beliebtesten Ausflugsziele der Leipziger.

On the site where Machern Castle now stands, there was once a moated castle. The Imperial Counts of Lindenau, who owned the ruins for several centuries, had extensive conversions carried out in the style of the Renaissance the baroque. In 1782 Albrecht von Lindenau had a park landscaped in romantic, sentimental style. This beautiful park near Wurzen is extremely popular with the people of Leipzig.

A l'origine se trouvait un château d'eau à l'endroit où se dresse le château de Machern. Les comtes de Lindenau, qui étaient depuis des siècles propriétaires des murs, firent exécuter d'importants travaux d'aménagement de style Renaissance et baroque. En 1782 Albrecht de Lindenau fit dessiner un jardin paysagé s'inspirant de ses visions sentimentales et romantiques. Ce parc splendide près de Wurzen est aujourd'hui un lieu d'excursion apprécié des habitants de Leipzig.

„Sie ist grüner, als du denkst", so pries der Autor Hans Reimann die durch den Kohleabbau zerklüftete Umgebung von Leipzig, die von Auenwäldern, Wasserspielen, Seen und weiten Wiesenflächen durchzogen ist. Südlich von Grimma lädt die parkartige Landschaft, vom Flusslauf der Mulde durchzogen, zu ausgedehnten Spaziergängen ein. In Höfgen zieht die romanische Dorfkirche, als wertvolles Kulturdenkmal, viele Besucher an. Unter Denkmalschutz steht auch eine aus dem 18. Jh. stammende gut erhaltene Fachwerk-Wassermühle.

"It's greener than you imagine," the author Hans Reimann once said, extolling the virtues of the countryside round Leipzig. Though bearing the evidence of coal mining, the area has extensive woodland, watercourses, lakes and broad meadowlands. The park-like countryside south of Grimma along the banks of the River Mulda is ideal for walking. The Romanesque village church in Höfgen, a cultural monument of considerable standing, is very popular with visitors. A well-preserved half-timbered watermill dating back to the 18th century is also a protected building.

«Elle est plus verte que tu ne le penses», c'est ainsi que l'auteur Hans Reimann faisait l'éloge du paysage des environs de Leipzig, fissuré par les mines de lignite mais parcouru de cours d'eau aux rives verdoyantes, de lacs et de vastes prés. Au sud de Grimma, les berges de la Mulde invitent à de longues promenades. A Höfgen, c'est l'église romane du village, d'un grand intérêt culturel, qui attire de nombreux visiteurs. Un moulin à eau à colombages du 18ème siècle, bien conservé, est également inscrit au patrimoine des monuments historiques.

ZIETHEN-PANORAMA VERLAG
D-53902 Bad Münstereifel, Flurweg 15
Telefon: (02253) - 6047 · Fax: (02253) - 6756
Email: mail@ziethen-panoramaverlag.de

überarbeitete Auflage 2001

Redaktion und Buchgestaltung:
Horst Ziethen

Text: Günter Gerstmann
Englisch-Übersetzung: John Stevens
Französisch-Übersetzung: Maryse Quézel

Druck, Lithografie, Satz:
ZIETHEN-FARBDRUCKMEDIEN GmbH
D-50999 KÖLN, Unter Buschweg 17
Fax: (02236) - 3989-89

Buchbindung: Leipziger Großbuchbinderei

Printed in Germany

ISBN 3-929932-89-X

BILDNACHWEIS / TABLE OF ILLUSTRATIONS / TABLE DES ILLUSTRATIONS

	Seiten:
Punctum-Fotografie, Leipzig	8/9, 10, 11, 12, 15, 16, 17 u. Titelbild, 19, 20, 22 u. Rücktitel, 24, 26, 27, 31, 32, 33, 34, 35, 36, 37, 38, 40, 44, 45, 46, 47, 50, 52, 53, 54, 55, 56, 57, 58, 61, 62/63, 66/67, 68, 69, 70, 71, 72
Horst Ziethen	7, 21, 25, 48, 49, 59(2)
Bildagentur Laif	1, 18, 28/29, 30, 51, 60, 65
AKG - Bildarchiv	14, 23
Musikinstrumenten-Museum der Universität, Leipzig Fotos: Janos Stekovics	42, 43
Stadtgeschichtliches Museum, Leipzig	39, 64
Gerd Mothes, Leipzig	13
Oper Leipzig	41

GRAFIKEN
Vorsatzseiten-Grafik: „Türme der Stadt Leipzig" von Oswin Volkamer, Leipzig
Nachsatzseiten: „Belagerung der Stadt Leipzig im 30-jährigen Krieg" Merian-Stich (1650)
Colorierter Stich: © Ziethen-Panorama Verlag, Bad Münstereifel

F
B
A
R
Q
W